OCÉANO ÁRTICO

AMÉRICA DEL NORTE

OCÉANO ATLÁNTICO

OCÉANO PACÍFICO

AMÉRICA DEL SUR

NÍA

La superficie de nuestro planeta está formada por los continentes, que son grandes extensiones de tierra rodeadas por mucha, mucha agua.

LOS OCÉANOS

Cuatro inmensos océanos, el Pacífico, el Atlántico, el océano
Índico y el océano Ártico, sin contar con los numerosos
mares, ocupan casi las tres cuartas partes de la superficie del planeta.
El océano Pacífico es el más extenso.
El océano Ártico tiene una particularidad: situado en el polo Norte, está
casi todo recubierto por una espesa capa de hielo, la banquisa.

LOS CONTINENTES

Los seis continentes son África, América, Asia, Europa, Oceanía
y la Antártida.

El único continente que no está habitado es la Antártida, en el polo Sur.
La Antártida está totalmente cubierta de hielo, y hace tanto frío
que nadie puede vivir allí.
El continente americano es tan grande que, para estudiarlo, se ha dividido
en América del Norte y América del Sur.

Todos los continentes se dividen en países que están limitados por
fronteras. Estas fronteras las puedes ver en las páginas de calco. A veces
siguen el curso de un río o de una cadena de montañas, pero también
atraviesan los accidentes geográficos. Algunas fronteras se han fijado a
lo largo de la historia. El trazado de las fronteras casi siempre ha sido el
origen de numerosas guerras, pues los países han querido enriquecerse
apoderándose del territorio de los países vecinos.

Concepción editorial y textos: Sophie Amen. Realización gráfica y de mapas: Bruno Douin.

EL ATLAS IDEAL PARA NIÑOS DE ENTRE 5 Y 8 AÑOS

MI PRIMERA VUELTA AL MUNDO

CLAVE DE LECTURA

Todos los mapas físicos y políticos de este atlas son fieles a la realidad.
Solo se han simplificado para que los puedas leer mejor.
Los autores han falseado voluntariamente las escalas y las distancias
en las grandes ilustraciones que proponen viajes a través de los diferentes continentes,
para que los niños tengan una visión más completa y más global.

¡Disfrutad del viaje!

sm

ÁFRICA

En África te encontrarás el desierto del Sahara, la sabana y sus miles de animales salvajes, la selva ecuatorial y pueblos tradicionales junto a grandes ciudades modernas.

En las viejas calles de Marrakech, en Marruecos, el mercado, que se llama souk, es un lugar muy bullicioso. Vendedores y compradores regatean los precios en torno a un vaso de té de hierbabuena.

La jirafa, el mamífero más alto del mundo, vive en la sabana africana. Gracias a su cuello de 3 m puede alcanzar las hojas más altas de los árboles. Cada jirafa tiene un diseño de manchas único y exclusivo.

En Sudáfrica, a las afueras de las grandes ciudades, están las townships, que son los barrios pobres habitados sobre todo por negros. La township de Soweto, en Johannesburgo, es una de las más pobres.

El punto más alto de África, el Kilimanjaro, es un volcán en activo. Cubierto por nieves perpetuas, domina la sabana, que es una inmensa pradera de hierbas altas.

La mezquita de Djenné, en Malí, está construida con excrementos secados al sol y decorada con trozos de madera en forma de picos. Este tipo de construcción no es nada cara, pero aguanta mal la lluvia.

En Zimbabue, las mujeres ndebele se llaman "mujeres jirafa", porque llevan muchos aros de cobre alrededor del cuello.

Los pigmeos son muy bajitos, pues miden cerca de 1,50 m. Viven como hace miles de años, de la caza y de la recolección en la selva ecuatorial, de la que conocen todos sus secretos.

El baobab resiste la estación seca gracias a las reservas de agua que almacena en el tronco. Según la leyenda, es un árbol plantado al revés, con las raíces hacia el cielo.

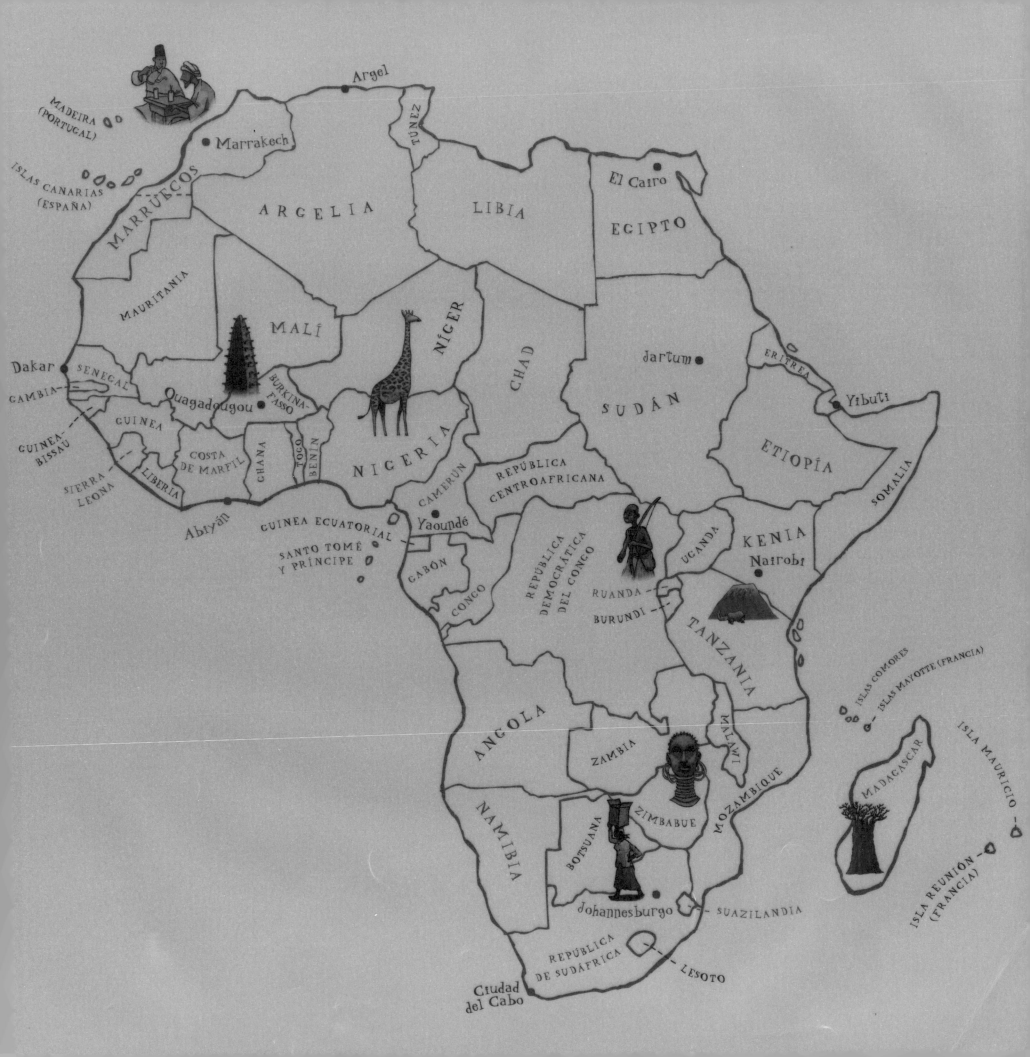

MADEIRA
(PORTUGAL)

ISLAS CANARIAS
(ESPAÑA)

Argel

TÚNEZ

Marrakech

MARRUECOS

ARGELIA

LIBIA

El Cairo

EGIPTO

MAURITANIA

MALÍ

NÍGER

CHAD

SUDÁN

Jartum

ERITREA

Yibuti

Dakar

SENEGAL

GAMBIA

Ouagadougou

BURKINA-FASO

ETIOPÍA

GUINEA-BISSAU

GUINEA

COSTA DE MARFIL

GHANA

TOGO

BENÍN

NIGERIA

SIERRA LEONA

LIBERIA

Abiyán

GUINEA ECUATORIAL

CAMERÚN

Yaoundé

REPÚBLICA CENTROAFRICANA

SOMALIA

KENIA

Nairobi

SANTO TOMÉ Y PRÍNCIPE

GABÓN

CONGO

REPÚBLICA DEMOCRÁTICA DEL CONGO

RUANDA

BURUNDI

UGANDA

TANZANIA

ISLAS COMORES

ISLAS MAYOTTE (FRANCIA)

ANGOLA

ZAMBIA

MALAWI

MOZAMBIQUE

MADAGASCAR

ISLA MAURICIO

NAMIBIA

BOTSUANA

ZIMBABUE

Johannesburgo

SUAZILANDIA

ISLA REUNIÓN (FRANCIA)

REPÚBLICA DE SUDÁFRICA

LESOTO

Ciudad del Cabo

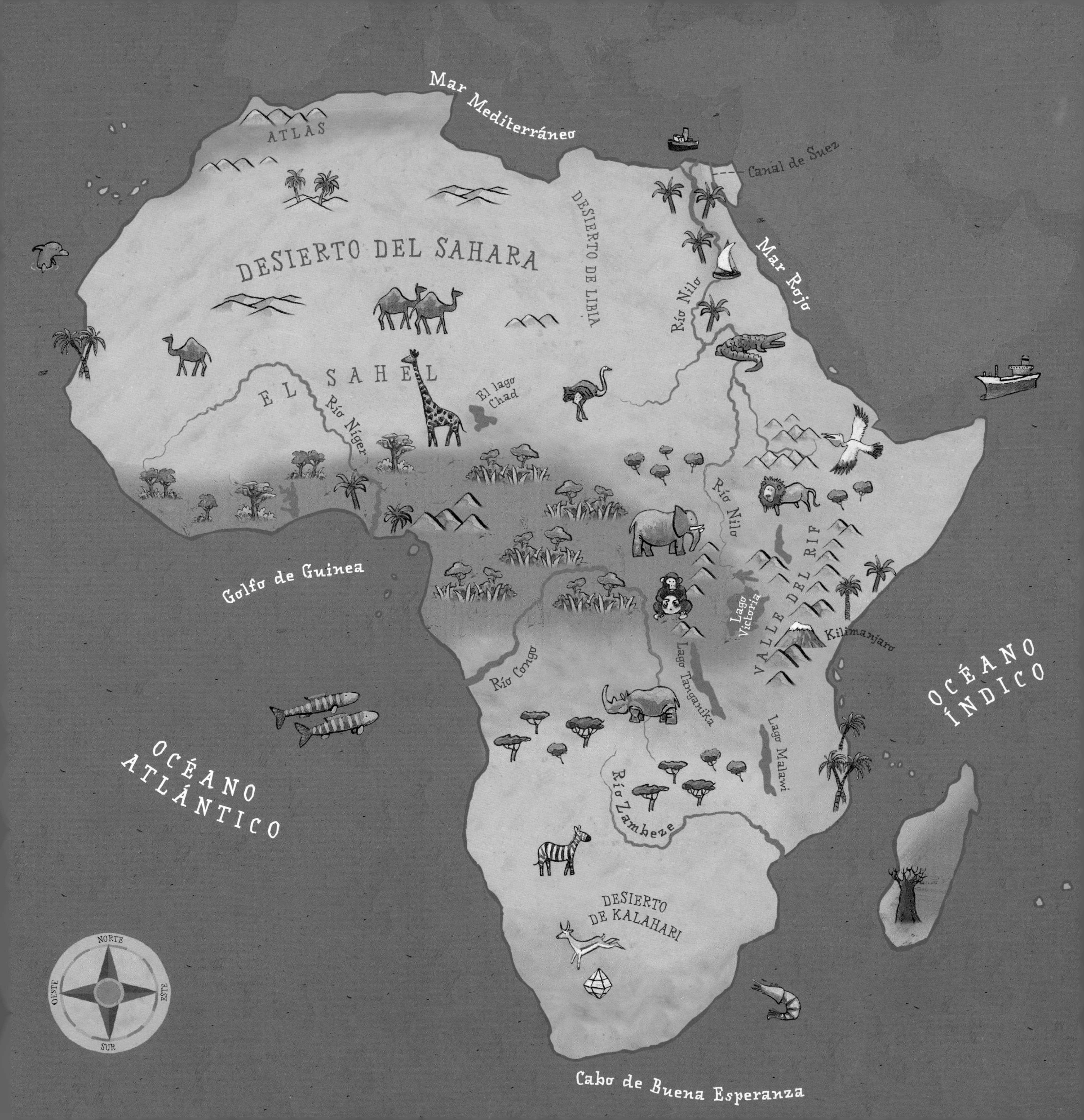

ATLAS

Mar Mediterráneo

Canal de Suez

DESIERTO DEL SAHARA

DESIERTO DE LIBIA

Río Nilo

Mar Rojo

EL SAHEL

Río Níger

El lago Chad

Golfo de Guinea

Río Nilo

VALLE DEL RIF

Lago Victoria

Kilimanjaro

OCÉANO ÍNDICO

OCÉANO ATLÁNTICO

Río Congo

Lago Tanganika

Lago Malawi

Río Zambeze

DESIERTO DE KALAHARI

NORTE

OESTE

ESTE

SUR

Cabo de Buena Esperanza

ÁFRICA Y EL NILO

Del lago Victoria al mar Mediterráneo, el Nilo atraviesa la selva tropical de Uganda y el desierto del Sudán y de Egipto. En sus orillas se agolpan muchos pueblos. El Nilo suministra de agua a los pueblos egipcios desde la época de los faraones, cuando los dioses reinaban sobre Egipto.

Desierto del Sinaí

Mar Rojo

Canal de Suez

EL CAIRO

Dios Amón

Templo de Karnak

Diosa Mouti

Templo de Luxor

Presa de Asuán

Río Nilo

Delta del Nilo

Pirámides

Lago Nasser

Esfinge de Guizeh

Dios Horus

Templo de Edfú

Falúa

Mar Mediterráneo

Sarcófagos

Yacimiento arqueológico

Gato egipcio

Danzarina del vientre

Ra   Thot   Osiris   Sobek

Los dioses del Egipto antiguo, en los tiempos de los faraones, se representaban con cabezas de animales sagrados.

Pozos de petróleo

ALEJANDRÍA

Caravana de tuaregs

AMÉRICA DEL NORTE

América del Norte está formada por Canadá, Estados Unidos, México y Centroamérica. La riqueza de los dos países más grandes contrasta con la miseria de la mayoría de los países de Centroamérica.

El mapache vive sobre todo de noche cerca de los cursos de agua, y se alimenta de peces y de cangrejos de río.

El castor es un excelente nadador. Con sus dientes cortantes, este arquitecto gordezuelo abate los grandes árboles para alimentarse de la corteza, y con las ramas construye presas para canalizar el agua.

La estatua de la Libertad vigila la entrada del puerto de Nueva York, la ciudad más grande de Estados Unidos. Fue un regalo de Francia en 1876 y ha visto llegar a millones de inmigrantes que soñaban con vivir en libertad en un mundo nuevo.

Desde lo alto de sus 70 m la pirámide de Tikal domina la selva de Guatemala. Fue construida hacia el siglo V por la espléndida civilización de los mayas, que ya ha desaparecido.

Cuba es la isla más grande del Caribe. Sus habitantes, los cubanos, comparten la pasión por la música. El ritmo de una especie de tambores, llamados congas, inunda las calles de La Habana de la mañana a la noche.

Los inuits viven en el norte del continente. Cuando van a cazar las focas o las ballenas, construyen sus refugios, que se llaman iglús, con bloques de hielo. También pescan haciendo agujeros en la banquisa.

El oso polar vive cerca del polo Norte, en el Ártico. Su espeso pelaje lo protege del frío. Es un gran nadador y un incansable cazador de focas. Unas pequeñas ventosas que lleva en los pies impiden que resbale en el hielo.

En la frontera de Canadá y Estados Unidos, las espectaculares cataratas del Niágara atraen cada año a miles de turistas. Los recién casados norteamericanos van a pasar allí su luna de miel.

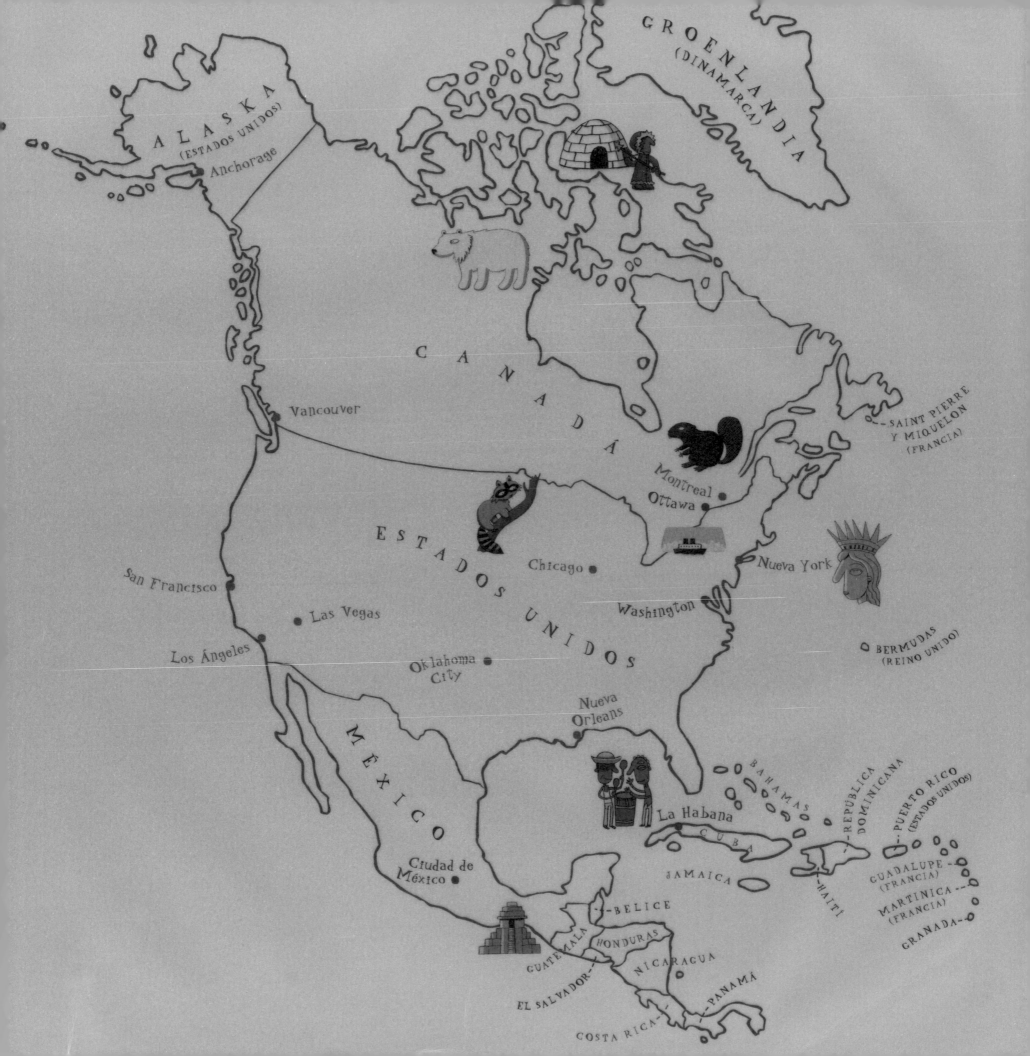

ASIA Y EL DELTA DEL MEKONG

Situado en el extremo sur de Vietnam, el delta del Mekong está surcado por numerosos canales. Todas las mañanas, a lo largo de sus orillas, se organizan los mercados flotantes, como el de Cai Rang. Los vietnamitas hacen sus compras en piragua...

¿Eres capaz de encontrar el perro que hay en esta ilustración?

(Está en esta misma página, detrás de un tronco, junto a la señora que lleva una chaqueta roja y un bolso azul.)

Puesto sobre pilotes

El Mekong nace en el Tíbet y atraviesa seis países antes de desembocar en el mar de China.

Los habitantes del delta transportan y venden sus productos (arroz, pescado, patos, frutas) a bordo de sus piraguas. Las barcas más grandes se llaman sampans.

Cuando el río desemboca en el mar, dividiéndose en numerosos brazos, forma un delta. El Mekong se llama también el "río de los 9 dragones" por los nueve brazos de su desembocadura.

EUROPA

Europa es el continente más pequeño del planeta, pero uno de los más densamente poblados. Sus fronteras, definidas a lo largo de los siglos, acogen paisajes y culturas muy distintos.

En Francia hay unas 37 razas de vacas, criadas para aprovechar su carne o su leche, con la que se elaboran los deliciosos quesos franceses.

La ciudad de Amsterdam, en los Países Bajos, está surcada de canales, a los que debe su nombre de Venecia del norte. Los habitantes se suelen desplazar en bicicleta.

En España han nacido importantísimos artistas. Músicos como Manuel de Falla, escritores como Miguel de Cervantes o pintores como Picasso, Goya, Murillo o Velázquez son sólo unos poquísimos ejemplos. En el Museo del Prado de Madrid se puede ver el famoso cuadro de Velázquez "Las Meninas".

Los fiordos, en la costa oeste de Noruega, son antiguos valles glaciares inundados por el mar. Son escarpados, sinuosos y con frecuencia muy profundos.

La catedral de San Basilio en Moscú es una de las principales obras de la arquitectura rusa. Fue construida en el siglo XVI por orden del zar Iván el Terrible, que había mandado cegar al arquitecto para que no pudiera construir jamás otra obra tan bella.

Hidra, una de las islas griegas, es famosa por sus casas blancas y sus cúpulas azules. En esta isla están prohibidos los coches, y los habitantes circulan en motocicleta o en burro. Los barcos llevan a la isla el agua potable.

OCÉANO
PACÍFICO

Mar de Arafura

Mar
de Coral

DESIERTO
DE TANAMI

GRAN ARRECIFE DE CORAL

GRAN DESIERTO
DE VICTORIA

Río Darling

Mar de Tasmania

OCÉANO
ÍNDICO

OCÉANO
PACÍFICO

NORTE

OESTE

ESTE

SUR

OCEANÍA Y EL ATOLÓN DE RANGIROA

Este antiguo volcán fue inundado por el océano Pacífico. Los corales se han fijado sobre las antiguas laderas para formar este hermoso anillo: el atolón de Rangiroa.

Aeropuerto de la isla

Cocoteros

Manta raya

Escena de pesca

Peces cirujanos

Coral

Cisterna de agua

Pueblo tradicional

Piragua de balancín

Ballena jorobada

Tortuga de mar

En esta ilustración hay dos situaciones de peligro. ¿Puedes hallarlas?

(El tiburón persigue a los buceadores, y el surfista está a punto de caerse de cabeza en el agua.)

Islote

Hotel de lujo

Farés

Pez payaso

Pez mariposa

Árbol del pan

Escuela de la isla

Mujeres tahitianas

Camión

Cangrejo de los cocoteros

Árbol de los viajeros

Platanero

OCÉANO PACÍFICO

Tiburón

Delfín

Las ilustraciones de Europa son de Olivier Latyk.

Las ilustraciones de Asia
son de Marcelino Truong.

Las ilustraciones de África
son de Florent Silloray.

Las ilustraciones de Oceanía
son de François Roudot.

Coordinación editorial: Jimena Licitra
Traducción del francés: Pilar Tutor
Título original: *Mon premier tour du monde*
Segunda edición: marzo 2005
© Éditions MILAN, 2002
© Ediciones SM, 2004
Impresores, 15
Urbanización Prado del Espino
28660 Boadilla del Monte (Madrid)

Comercializa: CESMA, SA
Preimpresión: Grafilia, SL
ISBN: 84-348-9664-8

Impreso en Italia / Printed in Italy